超级IQ大本营

脑筋急转弯

爆笑搞怪篇

玉欣◇主编

北方妇女儿童出版社

图书在版编目(CIP)数据

脑筋急转弯. 爆笑搞怪篇 / 玉欣主编. —长春：北方妇女儿童出版社，2009

ISBN 978-7-5385-3884-7

Ⅰ. 脑… Ⅱ. 玉 …Ⅲ. 智力游戏 – 少年读物 Ⅳ. G898.2

中国版本图书馆 CIP 数据核字（2009）第 064048 号

脑筋急转弯——爆笑搞怪篇

出 版 者　北方妇女儿童出版社
策　　划　刘　刚
主　　编　玉　欣
责任编辑　赵　凯
地　　址　长春市人民大街 4646 号　　邮编 130021
　　　　　电话 0431 － 85640624
经　　销　全国新华书店
印　　刷　黄冈市新华印刷有限责任公司
开　　本　880mm × 1230 mm　　1/32
印　　张　3
版　　次　2009 年 7 月第 1 版
印　　次　2015 年 12 月第 2 次印刷
书　　号　ISBN 978-7-5385-3884-7
定　　价　10.00 元

编者的话

思维力是孩子智力活动的核心，也是智力结构的核心，而人的智力因素都是从孩提时代开始发展的。因此，家长要想让孩子更聪明、更胜人一筹，就应从小培养孩子的思维能力。

脑筋急转弯是一种智力游戏，是儿童最喜爱的益智游戏之一，同时也是对儿童的思维能力的一种训练。它以生动活泼、易识易记的形式，诱发儿童思考，增进儿童对知识的浓烈兴趣，引导儿童打破惯有的思维模式，发挥自己的超常思维、锻炼人的幽默风趣和机智灵敏，集娱乐启智于一体，从而培养孩子们的幽默感，提高孩子们的判断力和敏捷的思维能力。

因此，这套《超级 IQ 大本营》丛书应运而生，它是特别为开发孩子们的智力、丰富孩子们的想象力、陶冶孩子们的情操量身定做的，我们通过精心筛选，编排了近千个“脑筋急转弯”智力问答题。全套书共八册，分别是：趣问妙答篇、爆笑搞怪篇、奇思妙想篇、开心一族篇、聪明绝顶篇、不可思议篇、天下无敌篇和头脑风暴篇。

本套书内容贴近日常生活，文字简洁易读，内容雅致风趣，量身定制的彩色漫画图活泼夸张，幽默诙谐，漫画中还配有相应的幽默诙谐的文字，其中加入了诸多新鲜幽默的时尚元素，这种图文并茂的完美结合，为孩子们烹制出一道精彩绝伦的幽默大餐，益智的同时让孩子们捧腹大笑，乐不可支。

孩子是祖国未来的花朵，提高孩子思维能力也是每个家长特别关注的问题，相信这套书，能让孩子们在紧张的挑战中取得快乐与智慧的双重收获，能让他们在智慧的国度里，插上梦想的翅膀，展翅翱翔！让我们走进这个神秘的天地，开启一扇扇智慧和奇趣的大门吧！

听说吃了白色巧克力，可以让皮肤变白哦！

问题

hēi rén wèi shén me xǐ huan chī bái sè qiǎo kè lì
黑人为什么喜欢吃白色巧克力？

答案

pà bǎ zì jǐ de shǒu yǎo dào
怕把自己的手咬到。

问题

shén me qíng kuàng xià yì shān kě yǐ
什么情况下一山可以
róng èr hǔ
容二虎？

答案

lǎo hǔ shì yì gōng yì mǔ
老虎是一公一母。

bǐ wū yā gèng tǎo yàn de shì shén me

比乌鸦更讨厌的是什么？

问题

答案

wū yā zuǐ
乌鸦嘴。

问题

shén me rén ài bèi shuǐ yí zhàn
什么人爱背水一战？

答案

yóu yǒng yùn dòng yuán
游泳运动员！

哈哈，有谁敢和
我一争高低啊！

问题

shén me rén tiān tiān hé bié ren dǎ jià
什么人天天和别人打架？

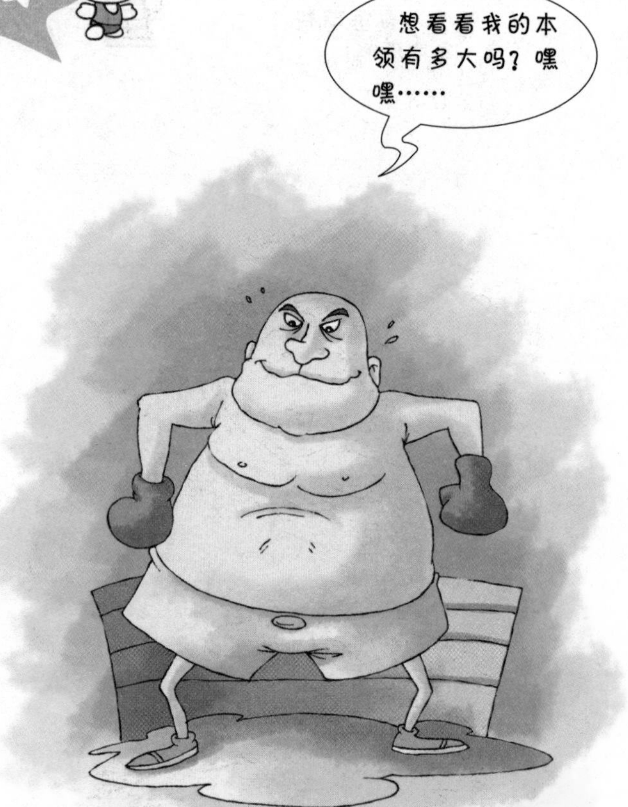
想看看我的本领有多大吗？嘿嘿……

答案

quán jī shǒu
拳击手！

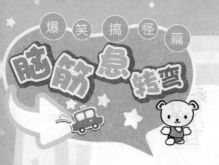

问题

shén me dōng xi zhǐ yǒu yì zhī jiǎo què
什么东西只有一只脚却
néng pǎo biàn wū zi de suǒ yǒu jiǎo luò
能跑遍屋子的所有角落？

答案

sào zhou
扫帚。

我天天跟你打电话，不费力就是挺费钱的。

dǎ shén me bú fèi lì a
打什么不费力啊？

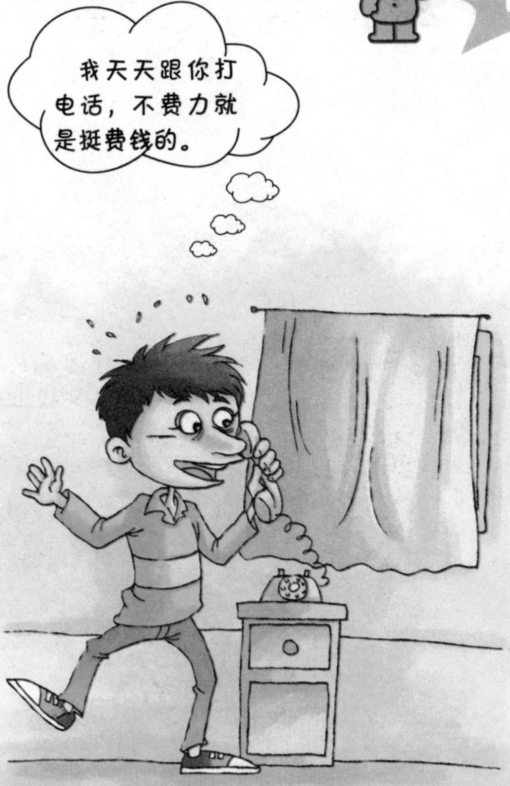

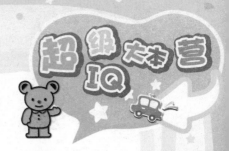

答案

dǎ kē shuì
打瞌睡。

问题

shén me shì tiān bù zhī dì zhī nǐ bù zhī wǒ zhī

什么事天不知地知，你不知我知？

答案

xié dǐ pò le yí gè dòng
鞋底破了一个洞。

wèi shén me dà xiàng zhǐ yǒu yì zhī
为什么大象只有一只
yòu ěr duo
右耳朵？

问题

答案

měi zhī dà xiàng dōu zhǐ yǒu yì zhī
每只大象都只有一只
yòu ěr duo
右耳朵。

问题

shén me dòng wù zuì jiē jìn yú rén lèi
什么动物最接近于人类？

啊，我们是寄生虫，专吃有营养的东西哦！

答案

jì shēng zài rén shēn tǐ shang de jì
寄生在人身体上的寄
shēngchóng
生虫。

nǐ yì shēng yǒu duō shao cì shēng rì
你一生有多少次生日？

问题

答案

yí cì
一次。

问题

tù zi de yǎn jing wèi shén me shì hóng de

兔子的眼睛为什么是红的？

答案

yīn wèi tā sài pǎo shū gěi le wū
因为它赛跑输给了乌
guī kū hóng le yǎn jing
龟，哭红了眼睛。

问题

zěn me yòng liǎng gè yìng bì zhē zhù yí
怎么用两个硬币遮住一
miàn jìng zi
面镜子？

答案

bǎ yǎn jing zhē zhù
把眼睛遮住。

问题

yú wèi shén me bù shuō huà
鱼为什么不说话？

答案

yīn wèi tā zài shuǐ li
因为它在水里。

问题

zuì jiān gù de suǒ pà shén me
最坚固的锁怕什么？

答案

yào shi
钥匙。

问题

liǎng gè xiǎo péng yǒu dōu mǎi le yí
两个小朋友都买了一
yàng de xié wèi shén me tā men chuān de
样的鞋，为什么他们穿的
xié hái shi bù yí yàng
鞋还是不一样？

答案

mǎi de xīn xié hái méi chuān
买的新鞋还没穿。

问题

yǒu yí gè dú mù qiáo qiáo de yì duān yǒu yì zhī lǎo hǔ zhǔn bèi guò qiáo qiáo de lìng yì duān yǒu yì zhī láng yě zhǔn bèi guò qiáo zài qiáo zhōng jiān yǒu yì zhī yáng zhèng zài guò qiáo yáng zěn me guò qù de

有一个独木桥，桥的一端有一只老虎准备过桥，桥的另一端有一只狼也准备过桥，在桥中间有一只羊正在过桥，羊怎么过去的？

答案

yūn guò qù
晕过去。

问题

kū hé xiào yǒu shén me gòng tóng zhī chù

哭和笑有什么共同之处？

原来笔画一样，连重量都一样啊！
哭
笑

答案

liǎng gè zì de bǐ huà dōu shì shí huà
两个字的笔画都是十画。

问题

hēi pí fū yǒu shén me hǎo chu
黑皮肤有什么好处？

答案

bú pà shài hēi
不怕晒黑。

嘿嘿，我是秃头啊!

xiǎo qiáng zài dà yǔ de kuàng yě zhōng
小强在大雨的旷野中
bēn pǎo le shí fēn zhōng tóu fa què méi
奔跑了十分钟，头发却没
yǒu shī wèi shén me
有湿，为什么?

问题

39

答案

yīn wèi xiǎo qiáng dǎ zhe sǎn
因为小强打着伞。

问题

jìn dòng wù yuán kàn dào de dì yī gè
进动物园看到的第一个

shì shén me
是什么？

答案

shòu piào yuán
售票员。

问题

liǎng jià mǎn zài chéng kè de fēi jī zài
两架满载乘客的飞机在
kōng zhōng xiāng zhuàng fēi jī shang de rén wèi shén
空中相撞，飞机上的人为什
me yí gè yě méi yǒu shòu shāng
么一个也没有受伤？

答案

fēi jī shang de rén dōu sǐ le
飞机上的人都死了。

真是见鬼！第一次出来钓鱼却下雨了，真讨厌！

问题

xià dà yǔ de shí hou zài nǎ lǐ diào yú bǐ jiào hǎo

下大雨的时候，在哪里钓鱼比较好？

答案

jiā li de yú gāng li
家里的鱼缸里！

问题

sān gè rén gòng chēng yì bǎ sǎn zài jiē shang zǒu shēnshang què méi yǒu lín shī wèi shén me

三个人共撑一把伞在街上走，身上却没有淋湿，为什么？

答案

yīn wèi méi yǒu xià yǔ
因为没有下雨。

问题

sān gè rén guò mǎ lù dāng shí méi
三个人过马路，当时没
yǒu rèn hé chē liàng tōng guò dàn zǒu dào yì
有任何车辆通过，但走到一
biān rén xíng dào shang de zhǐ yǒu liǎng rén qǐng
边人行道上的只有两人，请
wèn lìng yí gè rén nǎ lǐ qù le ne
问另一个人哪里去了呢？

答案

zài mǎ lù de lìng yì biān
在马路的另一边。

问题

xiǎo míng de bà ba zhǎo le gè zuò wèi
小明的爸爸找了个座位
zuò xià xiǎo míng yě zài tóng yí gè fáng jiān
坐下，小明也在同一个房间
zhǎo gè dì fang zuò xià lái xiǎo míng de bà
找个地方坐下来，小明的爸
ba què bù néng zuò zài xiǎo míng de wèi zhì
爸却不能坐在小明的位置
shang xiǎo míng zuò zài nǎ er le
上，小明坐在哪儿了？

答案

xiǎo míng zuò zài bà ba de tuǐ shang
小明坐在爸爸的腿上。

唉！每个星期五都要去牙科那边开会！
牙科

问题

jié mǐ yǒu hěn yán zhòng de wèi bìng
杰米有很严重的胃病，
kě tā měi zhōu yǒu wǔ tiān zǒng wǎng yá kē
可他每周有五天总往牙科
pǎo zhè shì wèi shén me
跑，这是为什么？

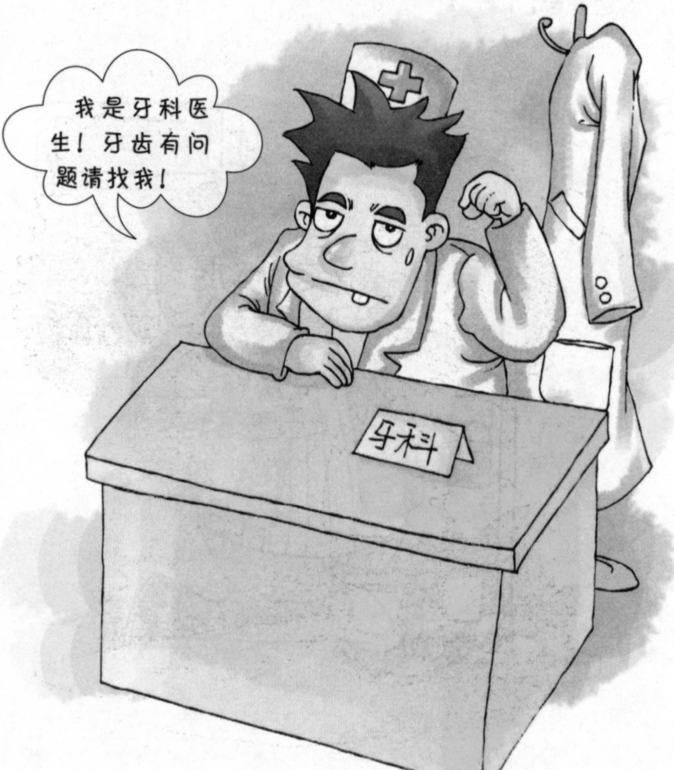
我是牙科医生！牙齿有问题请找我！
牙科

答案

jié mǐ shì yá kē yī shēng
杰米是牙科医生。

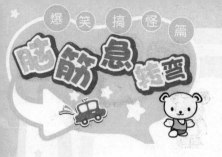

超级IQ大本营

我从来都不吃早餐的！我都是早餐和午餐一块儿吃耶！

zài zǎo cān shí cóng lái bù chī de
在早餐时从来不吃的
shì shén me
是什么？

问题

答案

wǔ cān hé wǎn cān
午餐和晚餐。

问题

yǒu yí wèi dà shī wǔ gōng liǎo dé
有一位大师武功了得，
tā zài xià yǔ tiān bú dài rèn hé fáng yǔ
他在下雨天不带任何防雨
wù pǐn chū mén quán shēn dōu bèi lín shī
物品出门，全身都被淋湿
le kě shì tóu fa yì diǎn méi shī zěn
了，可是头发一点没湿，怎
me huí shì
么回事？

答案

tā shì hé shang méi tóu fa
他是和尚没头发。

问题

wèi shén me bà ba fā xiàn pí jiā li
为什么爸爸发现皮夹里
de qián shù mù shǎo le yí bàn hòu biàn
的钱数目少了一半后，便
yì kǒu yǎo dìng shì ér zi gàn de ne
一口咬定是儿子干的呢？

答案

yīn wèi lǎo po bú huì zhǐ ná zǒu
因为老婆不会只拿走

yí bàn
一半。

yì zhāng sì fāng zhuō jù diào yí gè jiǎo
一张四方桌锯掉一个角，
hái yǒu jǐ gè jiǎo
还有几个角？

问题

答案

wǔ gè jiǎo
五个角。

问题

nǚ rén men zài bù zhī bù jué zhōng
女人们在不知不觉中
diū shī diào de dōng xi shì shén me
丢失掉的东西是什么？

答案

qīng chūn de róng yán
青春的容颜。

问题

qǐng zǐ xì xiǎng yì xiǎng nǐ suǒ jiàn
请仔细想一想，你所见
dào de zuì dà de yǐng zi shì shén me
到的最大的影子是什么？

答案

dì qiú de yǐng zi měi tiān de
地球的影子，每天的
wǎn shang
晚上！

这是哪里的方言，一句都听不懂。

问题

zài gōng gòng qì chē shang liǎng gè rén
在公共汽车上，两个人
zhèng zài rè liè de jiāo tán kě wéi guān de
正在热烈地交谈，可围观的
rén què yí jù huà yě tīng bú dào zhè shì
人却一句话也听不到，这是
yīn wèi shén me
因为什么？

答案

zhè shì yí duì lóng yǎ rén
这是一对聋哑人。

yí gè rén zài shén me qíng kuàng xià
一个人在什么情况下，
cái chǔ yú zhēn zhèng rèn rén zǎi gē de dì bù
才处于真正任人宰割的地步？

问题

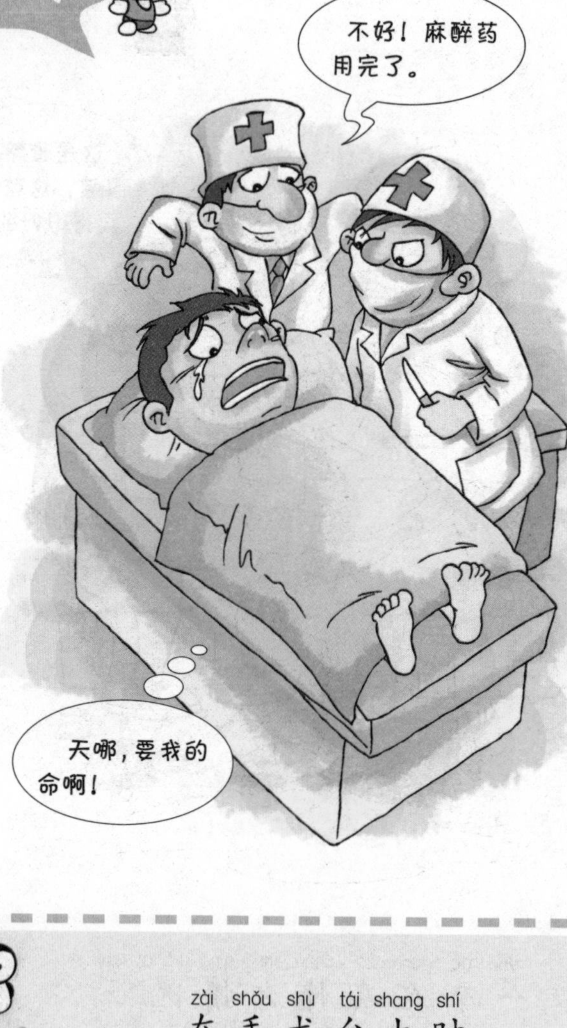

答案

zài shǒu shù tái shang shí
在手术台上时。

哼，气死我了，差点把我的肺都气炸了！

问题

shén me dōng xi yuè shēng qì, tā biàn yuè dà

什么东西越生气，它便越大？

答案

pí qi
脾气。

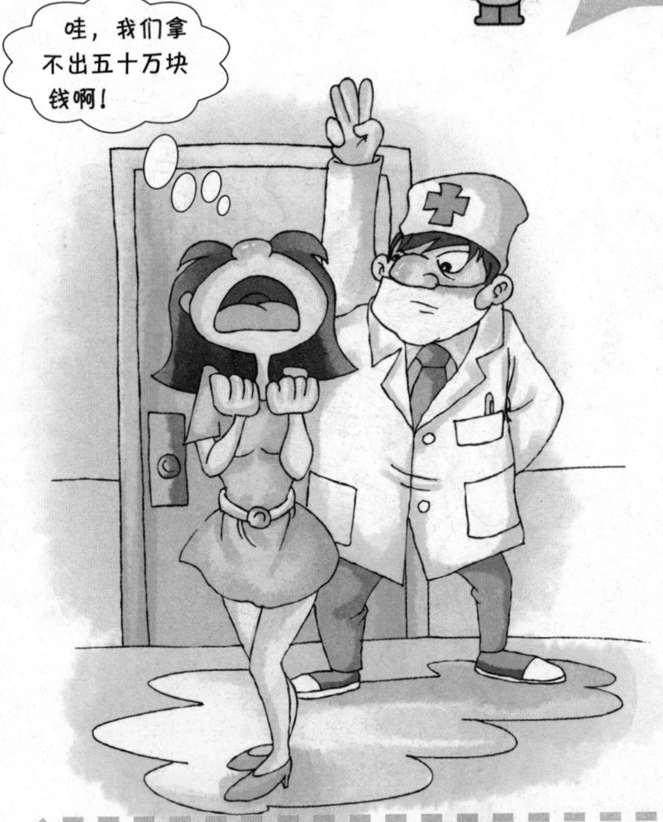

问题

bìng rén jiā shǔ wèn yī shēng bìng rén de
病人家属问医生病人的
qíng kuàng yī shēng zhǐ jǔ qǐ wǔ gè shǒu zhǐ
情况，医生只举起五个手指
jiā rén jiù kū le shì shén me yuán yīn ne
家人就哭了，是什么原因呢？

答案

sān cháng liǎng duǎn
三 长 两 短 。

问题

rén men xīn gān qíng yuàn mǎi de jiǎ
人们心甘情愿买的假
dōng xi shì shén me
东西是什么？

答案

jiǎ fà　jiǎ yá
假发、假牙。

问题

nǐ zhī dào zuì bù tīng huà de shì
你知道最不听话的是

shéi ma
谁吗？

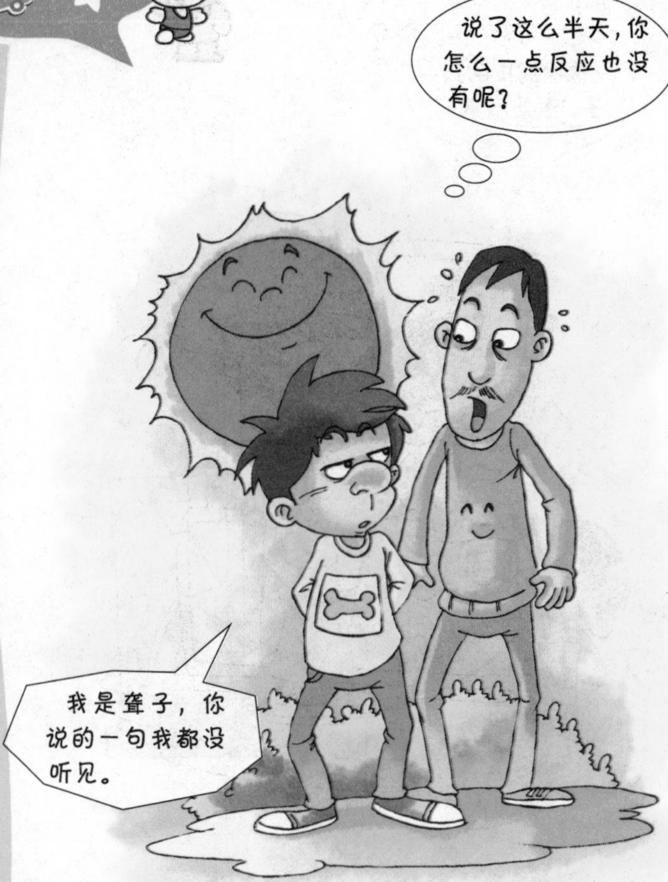
说了这么半天，你怎么一点反应也没有呢？
我是聋子，你说的一句我都没听见。

答案

lóng zi
聋子。

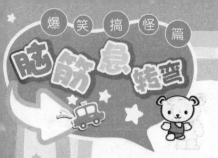

倒霉，今天刚穿的袜子就破了一个洞。
!

问题

xiǎo míng xīn mǎi de wà zi jiù yǒu yí
小明新买的袜子就有一
gè dòng tā què bú qù zhǎo shòu huò yuán
个洞，他却不去找售货员
huàn nǐ zhī dào wèi shén me ma
换，你知道为什么吗？

答案

yīn wèi wà zi běn lái jiù yǒu yí gè kāi kǒu

因为袜子本来就有一个开口。

问题

shén me shì nǐ míng míng méi yǒu zuò
什么事你明明没有做，
dàn què yào shòu fá
但却要受罚？

答案

jiā tíng zuò yè
家庭作业。

哈哈，白天我把尾巴扎起来，到了晚上我再把尾巴放下来。

问题

shén me dōng xi wǎn shang cái shēng chū wěi ba ne

什么东西晚上才生出尾巴呢？

答案

liú xīng
流 星。

问题

shén me dōng xi yǒu wǔ gè tóu dàn
什么东西有五个头，但
rén bù jué de tā guài ne
人不觉得它怪呢？

答案

shǒu hé jiǎo
手和脚。

shén me shuǐ yǒng yuǎn yòng bù wán
什么水永远用不完？

问题

答案

lèi shuǐ
泪水。

问题

shū diàn li mǎi bú dào shén me shū
书店里买不到什么书？

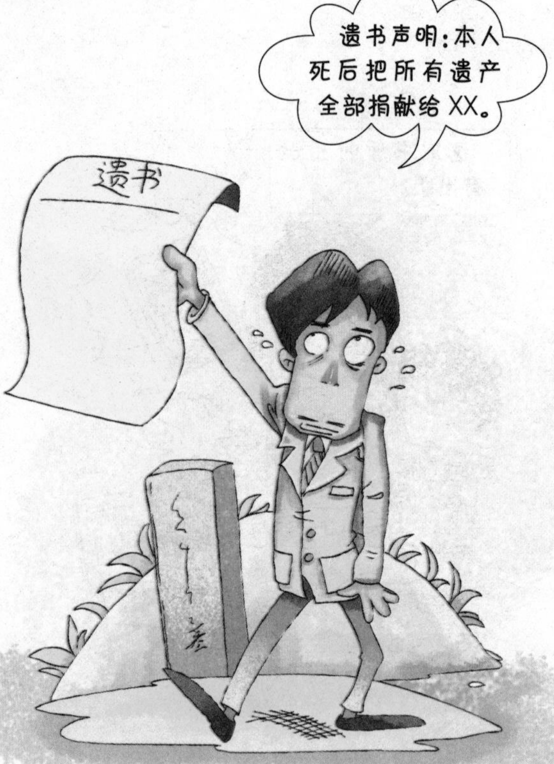
遗书声明：本人死后把所有遗产全部捐献给XX。
遗书

答案

yí shū
遗书。

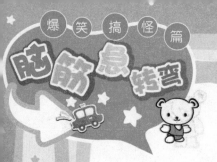

我是天生的记忆
力好，什么东西都
是过目不忘的。

问题

gē ge chuī xū zì jǐ yǒu fēi fán
哥哥吹嘘自己有非凡
de jì yì lì kě yǒu yí jiàn shì tā
的记忆力，可有一件事他
chángwàng nà shì shén me shì
常忘，那是什么事？

答案

huán dì di de qián
还弟弟的钱！